EXAMENS PARACLINIQUES

Cahier de mises en situation

JOSÉE COURCHESNE
Inf., B.Sc., enseignante en soins infirmiers
Collège de Bois-de-Boulogne

VÉRONIQUE BEAUFILS
Inf., B.Sc., enseignante en soins infirmiers
Collège de Bois-de-Boulogne

DIANE BERTIN
Inf., B.Sc., DESS en santé mentale,
enseignante en soins infirmiers,
Diplôme de 2e cycle en enseignement au collégial
Collège de Bois-de-Boulogne

MARIE-ÈVE GRONDIN
Inf., B.Sc., enseignante en soins infirmiers
Collège de Bois-de-Boulogne

KARINE HÉBERT
Inf., B.Sc., enseignante en soins infirmiers
Collège de Bois-de-Boulogne

LYNE LEBLOND
Inf., B.Sc., enseignante en soins infirmiers
Collège de Bois-de-Boulogne

FRANCE OUELLET
Inf., B.Sc., enseignante en soins infirmiers
Collège de Bois-de-Boulogne

2e édition

Examens paraclinIques
Cahier de mises en situation, 2e édition

Josée Courchesne, Véronique Beaufils, Diane Bertin, Marie-Ève Grondin, Karine Hébert, Lyne Leblond et France Ouellet

Conception éditoriale : Dominique Hovington
Coordination éditoriale : André Vandal
Édition : Nancy Lachance
Coordination : Michel Raymond
Révision linguistique : Michel Raymond et Diane Robertson
Correction d'épreuves : Natacha Auclair
Conception graphique : Micheline Roy
Conception de la couverture : Micheline Roy

Catalogage avant publication de Bibliothèque et Archives nationales du Québec et Bibliothèque et Archives Canada

Courchesne, Josée

Examens paracliniques. Cahier de mises en situation

2e édition.

ISBN 978-2-7650-4892-3

1. Diagnostics biologiques – Études de cas. 2. Diagnostics biologiques – Problèmes et exercices. I. Titre.

RB38.2.W5414 2014 Suppl. 616.07'5 C2014-940581-2

CHENELIÈRE ÉDUCATION

5800, rue Saint-Denis, bureau 900
Montréal (Québec) H2S 3L5 Canada
Téléphone : 514 273-1066
Télécopieur : 514 276-0324 ou 1 800 814-0324
info@cheneliere.ca

ISBN 978-2-7650-4892-3

Dépôt légal : 2e trimestre 2014
Bibliothèque et Archives nationales du Québec
Bibliothèque et Archives Canada

Imprimé au Canada

2 3 4 5 6 M 20 19 18 17 16

Gouvernement du Québec – Programme de crédit d'impôt pour l'édition de livres – Gestion SODEC.

Ce projet est financé en partie par le gouvernement du Canada

Sources iconographiques

p. 7 : wongwean/Shutterstock.com, Marko Polasen/Shutterstock.com, dencg/Shutterstock.com, Nata-Lia/Shutterstock.com ; **p. 41 :** wongwean/Shutterstock.com, herjua/Shutterstock.com, dencg/Shutterstock.com, Nata-Lia/Shutterstock.com ; **p. 59 :** wongwean/Shutterstock.com, Alexander Raths/Shutterstock.com, dencg/Shutterstock.com, Nata-Lia/Shutterstock.com.

Table des matières

Notice

Considérant que chaque hôpital a ses procédures, d'autres analyses peuvent s'ajouter aux mises en situation étudiées.

Nous avons construit les mises en situation dans un but d'apprentissage et non de pratique clinique. D'autres volumes de référence, tels les livres de médecine-chirurgie ou de psychiatrie par exemple, seront utiles pour répondre aux problèmes posés dans les mises en situation.

Remerciements

Merci à Josée Courchesne d'avoir tenu les rênes du projet auprès des collaboratrices. Son enthousiasme contagieux nous a contaminées !

L'équipe de rédactrices

À l'origine de ce projet entièrement québécois se trouve une équipe extraordinaire d'infirmières, brillamment chapeautée par Josée Courchesne. Vous savez transmettre non seulement la passion de l'enseignement d'un métier, mais aussi de grandes compétences de recherche scientifique dans vos champs de spécialisation respectifs. Chenelière Éducation aimerait vous remercier de rendre si vivante la discipline des soins infirmiers.

L'édition

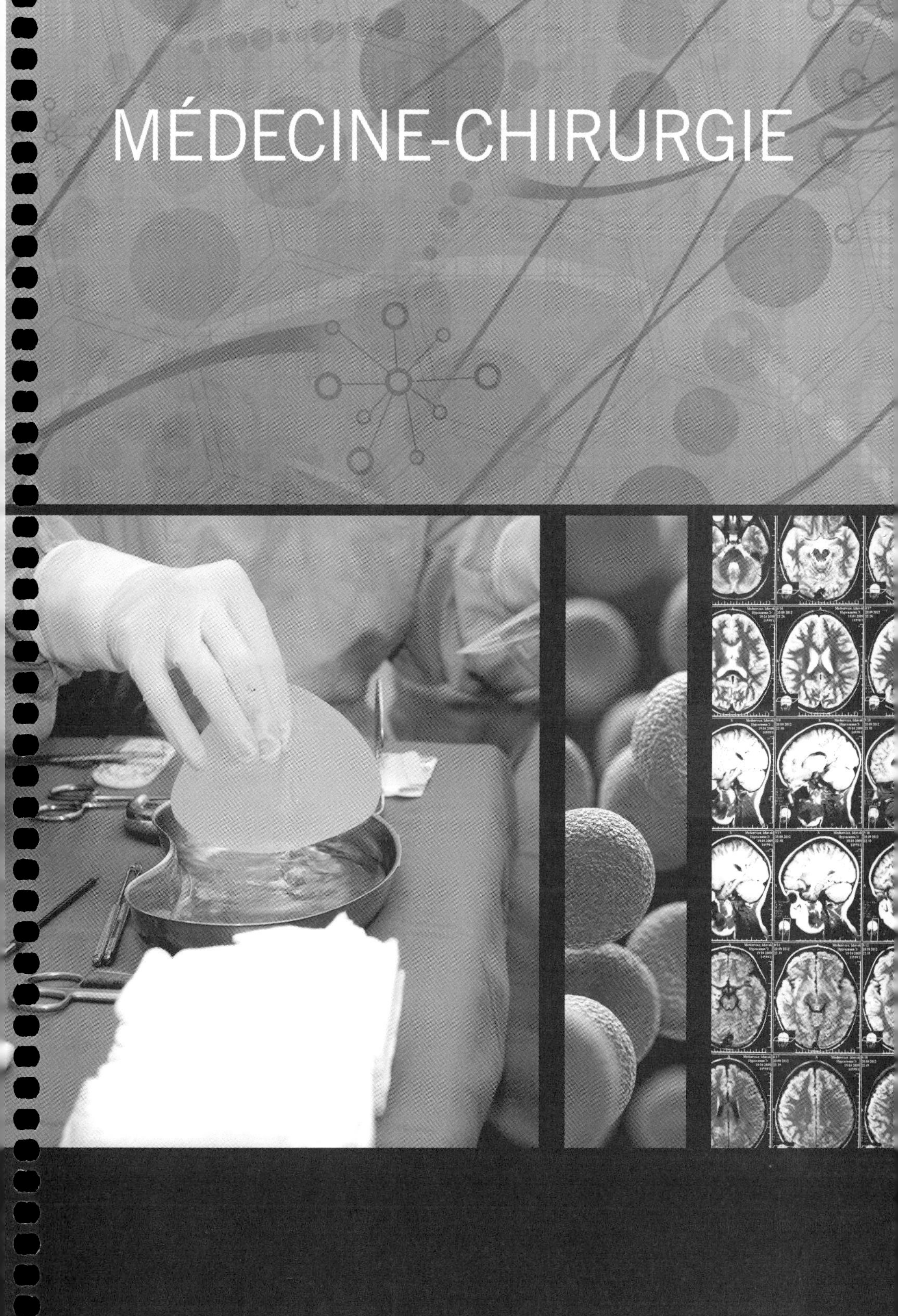
MÉDECINE-CHIRURGIE

Médecine-chirurgie, niveau 1

► Situation 1

Mme Gao présente une thromboembolie veineuse au membre inférieur droit à la suite d'une arthroplastie[1] de la hanche droite. Elle ne reçoit plus d'héparine par voie intraveineuse (I.V.). Elle prend actuellement du Coumadin^MD^ (warfarine sodique) par voie orale (P.O.). Mme Gao doit subir une ponction veineuse régulièrement afin d'ajuster son dosage de Coumadin^MD^.

Voici le résultat de son dernier rapport international normalisé (RIN)[2] :

- INR ou RIN : 2,7 (valeurs normales : 1,0 ± 0,1)

1. Arthroplastie : Réfection chirurgicale d'une articulation avec ou sans implantation d'une prothèse.
2. On utilise indifféremment RIN ou INR (rapport international normalisé).

Interprétez le résultat de Mme Gao. Est-ce thérapeutique ?

Quel est le risque pour Mme Gao si le résultat de son RIN est trop élevé ?

Quel est le risque pour Mme Gao si le résultat de son RIN est trop bas ?

La vitamine K intervient dans le processus de coagulation. Pendant la prise de son anticoagulant P.O., Mme Gao devrait-elle augmenter ou réduire la consommation de cette vitamine ?

Dans quels aliments retrouve-t-on le plus cette vitamine ? Nommez-en trois.

► Situation 2

Mme Lapierre, 74 ans, consulte son médecin, car elle ressent une grande fatigue. De plus, elle dit avoir perdu du poids et se plaint de raideur généralisée. Elle a passé divers tests dont voici les résultats :

- Facteur rhumatoïde supérieur à 80 U/ml (valeurs normales : <60 U/ml)
- Analyse du liquide synovial : trouble et laiteux (normalement de couleur transparente ou jaune pâle)
- Hb : 102 g/L (valeurs normales : 120 – 160 g/L)
- Ht : 27 % (valeurs normales : 37 – 48 %)

À la suite de ces résultats, son médecin pose le diagnostic suivant : polyarthrite rhumatoïde.

Quelle autre analyse son médecin aurait-il pu demander afin de confirmer le diagnostic ? Justifiez votre réponse.

► Situation 3

M. Parenteau, 49 ans, est traité en centre d'hébergement et de soins de longue durée (CHSLD) pour une pathologie dégénérative. Son indice de masse corporelle (IMC) est de 16. Il est très fatigué. Son teint est très pâle et son état ne cesse de se détériorer.

Quelles analyses devrait-on vérifier chez M. Parenteau et pour quelles raisons ?

____

____

____

____

____

____

____

____

► Situation 4

M. Philibert, 43 ans, consulte son médecin, car lors de son entraînement, il s'est senti plus essoufflé qu'à l'habitude et a ressenti une douleur thoracique. Selon lui, il n'a aucun antécédent cardiaque ni pulmonaire. À l'examen physique, le médecin remarque une grande pâleur chez son client.

Voici les résultats de laboratoire de M. Philibert :

- Radiographie pulmonaire : aucune anomalie
- Numération des globules rouges (GR) : $2,3 \times 10^{12}$/L (valeurs normales : $4,7 - 6,1 \times 10^{12}$/L)
- Hb : 96 g/L (valeurs normales : 130 – 180 g/L)
- Ht : 30 % (valeurs normales : 42 – 52 %)
- Numération des globules blancs (GB) : 7 000/mm^3 (valeurs normales : 4 200 – 10 000/mm^3)
- Numération des plaquettes : valeurs normales (valeurs normales : 150 000 – 400 000/mm^3)

Que dire du résultat des globules rouges (GR) ?

____

____

Quel est le rôle de l'hémoglobine (Hb) et quel est le lien à faire avec la condition de M. Philibert?

À quoi sert l'analyse des plaquettes dans le cas de M. Philibert?

Quel terme est utilisé pour décrire un taux de plaquettes élevé et quel est le risque chez le client?

Quel terme est utilisé pour décrire un taux de plaquettes bas et quel est le risque chez le client?

► Situation 5

Mme Dupuis consulte son médecin, car depuis quelques jours, elle souffre de pollakiurie et d'hématurie. Sa température buccale s'élève à 38,2 °C. Le Dr Léveillé lui a prescrit une analyse et une culture d'urine.

Mme Dupuis vous demande la différence entre une analyse et une culture d'urine. Expliquez-lui les buts recherchés par ces deux analyses.

Analyse d'urine	Culture d'urine

Le Dr Léveillé lui a demandé de faire ces analyses par prélèvement mi-jet. Elle ne sait pas ce que cela veut dire. Expliquez-lui la procédure à suivre.

Comment peut-on prélever un spécimen stérile chez un client porteur d'une sonde vésicale ?

► Situation 6

M. Petrescu souffre d'hypertension artérielle et le médecin soupçonne une maladie des glandes surrénales. Il lui a prescrit une collecte des urines de 24 heures.

M. Petrescu veut savoir pourquoi il doit éviter de faire des activités excessives, cesser son Aspirine[MD] (AAS) et suivre un régime alimentaire ne comprenant pas de café, de thé, de banane, de cacao, de réglisse et d'agrumes, et ce, pendant les trois jours précédant le test. Expliquez-lui les raisons.

M. Petrescu vous demande la raison pour laquelle il faut absolument récolter ses urines sur une période de 24 heures et pourquoi il ne faut pas tout simplement faire une prise de sang. Expliquez-lui la raison.

Expliquez à M. Petrescu la procédure pour récolter ses urines de 24 heures.

► Situation 7

Mme Lafortune, 53 ans, a été opérée il y a trois jours pour une hystérectomie[1]. Elle se plaint de douleurs abdominales qui s'intensifient depuis le matin.

Vous prenez ses signes vitaux :

- P.A. : 156/74 mm Hg
- P : 114 batt./min régulier
- R : 28/min régulière
- T°.B. : 38,6 °C

1. Hystérectomie : ablation de l'utérus.

Que vous révèlent les résultats des signes vitaux? Faites quatre liens.

Vous prélevez des analyses sanguines, dont une formule sanguine complète (FSC). Quel élément de la FSC risque d'être perturbé et pourquoi?

Mme Franco a aussi été opérée pour une hystérectomie. Ses signes vitaux sont les suivants:

- P.A.: 90/50 mm Hg
- P: 112 batt./min
- R: 32/min superficielle
- T°.B.: 37 °C

Vous prélevez des analyses sanguines, dont une FSC. Quel élément de la FSC risque d'être perturbé et pourquoi?

► Situation 8

M. Rossi se rend au groupe de médecine familiale (GMF) de sa région, car depuis une semaine, il présente une toux productive persistante. Ses expectorations sont verdâtres. Le médecin lui prescrit une culture des expectorations.

Vous lui apportez un contenant à prélèvement en vue de procéder à la culture. M. Rossi veut savoir à quoi sert ce prélèvement. Quelle sera votre réponse?

Qu'est-ce qui pourrait fausser les résultats de cette analyse ?

Quel est le meilleur moment pour récolter les échantillons des expectorations ? Justifiez votre réponse.

Expliquez à M. Rossi la procédure à suivre pour la récolte des expectorations.

M. Rossi a effectué son prélèvement. L'infirmière le laisse sur le comptoir et dit au préposé d'aller le porter au laboratoire lorsqu'il en aura le temps. Qu'en pensez-vous ?

► Situation 9

Mme Adams, 75 ans, a un indice de masse corporelle (IMC) de 31. Elle se présente à l'urgence pour une douleur à la poitrine. Lors de l'évaluation de l'infirmière, la cliente lui dit qu'elle est diabétique, qu'elle souffre d'arthrite depuis 15 ans et qu'elle a des problèmes rénaux. De plus, elle mentionne à l'infirmière qu'elle a des brûlements lorsqu'elle urine.

Les signes vitaux sont les suivants :

- P.A. : 158/90 mm Hg
- P : 90 batt./min
- R : 20/min
- T°.B. : 38,3 °C

Mme Adams est placée en observation. Le résultat des analyses de laboratoire indique qu'elle fait aussi de l'anémie et qu'elle est en début d'infarctus du myocarde.

Quels examens paracliniques seront demandés par rapport à tous les problèmes de santé de Mme Adams ?

1. Obésité	
2. Diabète	
3. Arthrite	
4. Problèmes rénaux	
5. T°.B. (38,3 °C)	
6. Anémie	
7. Début d'infarctus	
8. Hypertension artérielle (HTA)	

Rapidement, Mme Adams est traitée pour son infarctus du myocarde et placée sous héparine par voie intraveineuse (I.V.).

Afin de s'assurer d'un dosage adéquat de l'héparine I.V., quelle analyse sanguine sera demandée ?

___

► Situation 10

Mme Lévesque, 85 ans, a une plaie au siège de 3 cm par 4 cm qui dégage une odeur fétide et qui présente un écoulement purulent modéré. La cliente a un indice de masse corporelle (IMC) de 18 et sa température buccale est actuellement à 38,5 °C.

Dans cette situation, quelle analyse l'infirmière peut-elle décider de faire de façon autonome ?

___

Quel est le but recherché par cette analyse ?

___

___

Quelles sont les précautions à prendre avant de faire cette analyse ?

___

___

___

___

Quelle est la manière de procéder pour effectuer cette analyse ?

___

___

___

___

___

___

___

___

___

___

___

► Situation 11

Hier soir, M. Vachon, 65 ans, a souffert d'un épisode d'hémianopsie qui a duré environ une à deux minutes. Inquiet, il se présente chez son médecin. Celui-ci décide de lui faire passer une tomodensitométrie ou un *scan* cérébral.

Quels sont les résultats recherchés chez M. Vachon?

____

____

____

____

► Situation 12

Mme Bakari, 72 ans, est admise dans votre unité, car elle a été trouvée dans le coma par sa fille à la suite d'une intoxication alimentaire. De plus, elle présente une plaie au siège avec présence de nécrose qui dégage une odeur fétide et qui lui occasionne de la douleur. Elle souffre aussi d'hypertension artérielle et de diabète de type 2.

Ses prescriptions et les analyses suivantes figurent à son dossier:

• P.A.: 170/96 mm Hg • P: 90 batt./min • R: 32/min • T°.B.: 38,7 °C • SaO_2: 95 % AA (air ambiant)		• Empracet[MD] 30 mg aux 4 à 6 heures au besoin PRN (analgésique opiacé) • Entrophen[MD] 325 mg die (antiplaquettaire) • Diabeta[MD] 5 mg b.i.d. (hypoglycémiant) • Lopresor[MD] 50 mg b.i.d. (antiangineux, antihypertenseur) • NaCl 0,9 % à 80 ml/h • Glycémie capillaire avant les repas (a.c.) et au coucher (h.s.)	
• Hb: 94 g/L • Ht: 40 % • Albumine: 12 g/dl	B[1] B B	• Vitesse de sédimentation: 24 mm/h • Urée: 12 mmol/L • Créatinine: 160 mmol/L • Glycémie: 13 mmol/L	H[2] H H H
1. B: Valeur basse. 2. H: Valeur haute.			

Relevez deux données parmi les prescriptions et les analyses ci-dessus qui vous confirment la présence d'une infection.

La plaie de Mme Bakari tarde à guérir.

Quelles analyses sanguines vont influencer le processus de cicatrisation de sa plaie ? Nommez-en trois et justifiez votre réponse.

Deux jours plus tard vers 11 h, le préposé vous avise que Mme Bakari se dit fatiguée, qu'elle présente des tremblements et qu'elle se plaint de céphalées.

Quelle analyse allez-vous vérifier et pourquoi ?

► Situation 13

Mme Xing, 63 ans, vient de subir une chirurgie à la suite d'une fracture de la hanche. À 7 h 30, lors du rapport de l'infirmière, cette dernière vous dit qu'il reste 900 ml dans son soluté D5 % NaCl 0,45 % + KCl 40 mEq qui perfuse à 120 ml/h. Vers 8 h, lors de votre visite auprès de la cliente, elle dit ressentir des palpitations et des nausées. Vous constatez qu'il reste 100 ml dans le sac de soluté.

À la suite des manifestations éprouvées par Mme Xing, quelle analyse sanguine devra être surveillée de près ? Justifiez votre réponse.

► Situation 14

Mme Bedrosian souffre d'un ulcère gastrique. Le médecin lui a prescrit un repas baryté et, à la suite de cet examen, il lui recommande de prendre du jus de pruneaux.

Mme Bedrosian veut savoir pourquoi elle doit boire ce jus après son examen. Qu'allez-vous lui répondre ?

____

____

Le lendemain de son examen, Mme Bedrosian elle appelle l'infirmière d'Info-Santé et lui demande pourquoi ses selles sont beiges.

Quelle sera la réponse de l'infirmière ?

____

____

____

► Situation 15

Depuis deux jours, Mme Muller, âgée de 62 ans et hospitalisée dans votre unité, a de nombreuses selles liquides nauséabondes provoquées par le *Clostridium difficile* (CD).

Quels examens paracliniques seraient importants de vérifier au dossier de Mme Muller ? Nommez-en au moins deux :

____

____

____

____

____

À quel risque s'expose Mme Muller considérant le fait qu'elle présente de nombreuses selles liquides ?

____

Médecine-chirurgie, niveau 2

► Situation 1

Mme Fortier, souffrant d'un problème de fibrillation auriculaire (FA), est hospitalisée pour une thromboembolie veineuse. Elle est actuellement sous perfusion d'héparine I.V. Elle a subi de nombreux tests dont voici quelques résultats :

- Numération des plaquettes : 200 000/mm^3 (valeurs normales : 150 – 400 000/mm^3)
- Temps de céphaline activé (TCA) : 70 s (valeurs normales : 25 – 35 s)
- RIN ou INR : 1,0 (valeurs normales : 1 ±0,1)

Interprétez les résultats des tests de laboratoire de Mme Fortier.

Quelques jours plus tard, vous apportez à Mme Fortier un comprimé de Coumadin^{MD} 5 mg, selon l'ordonnance médicale.

Comme le Coumadin^{MD} et l'héparine n'ont pas d'effets additifs et qu'ils n'agissent pas sur les mêmes facteurs de coagulation, quelle sera l'analyse sanguine qui permettra d'ajuster la posologie du Coumadin^{MD} ? À quelle fréquence cette analyse devra-t-elle être faite ?

Combien de temps faut-il compter avant d'obtenir une concentration thérapeutique de Coumadin[MD] dans le sang ?

► Situation 2

M. Boisvert, 54 ans, se présente à l'urgence, car depuis quelques jours, il se sent plus fatigué qu'à l'habitude, se dit plus essoufflé et souffre de céphalées. Il est hypertendu depuis plusieurs années et son médecin a de la difficulté à contrôler son hypertension. Il vous mentionne qu'il vient de changer sa médication.

Ses prescriptions sont les suivantes :

- Spironolactone (Aldactone[MD]) 150 mg die
- Ramipril (Altace[MD]) 2,5 mg die

Quelles sont les analyses sanguines à vérifier dans cette situation ? Nommez-en trois et justifiez votre réponse.

► Situation 3

M. Rochefort, 33 ans, se présente en consultation externe pour y subir une hyperglycémie provoquée. Son médecin de famille lui a prescrit ce test à la suite des résultats de glycémie obtenus la semaine précédente. M. Rochefort ne présente aucun autre problème de santé.

Que recherche-t-on en faisant passer cet examen à M. Rochefort?

Quel enseignement devrez-vous faire à M. Rochefort en lien avec cet examen?

► Situation 4

M. Flamant, 77 ans, se plaint de douleurs abdominales depuis quelques jours. Il souffre d'un début d'insuffisance rénale. Son médecin lui prescrit une tomodensitométrie avec produit de contraste afin de trouver la cause de ses malaises. Les antécédents du client laissent croire à une diverticulite perforée.

Pourquoi le médecin a-t-il choisi la tomodensitométrie plutôt que la colonoscopie ou encore le lavement baryté?

Quelle information importante devrez-vous demander à votre client avant de le préparer à cet examen ?

Nommez deux analyses sanguines qu'il vous faudra surveiller à la suite de l'examen de M. Flamant. Expliquez en quoi la situation de ce client est particulière.

► Situation 5

Mme Wemba, âgée de 21 ans, arrive du Rwanda. Elle se présente à la clinique pour recevoir un test de Mantoux (PPD) qui est demandé dans le cadre de ses études en soins infirmiers. Un peu inquiète, elle vous demande certaines informations.

En quoi consiste ce test à la tuberculine (PPD) ?

On a parlé à Mme Wemba des modalités entourant la lecture du test. Pouvez-vous lui donner plus d'informations à ce sujet ?

Y a-t-il des précautions à prendre ?

À la suite de la lecture de son PPD, Mme Wemba a l'avant-bras induré d'au moins 10 mm au site de l'injection. Que signifie cette lecture ?

S'il n'y avait eu aucune réaction au site de l'injection à la suite du test de PPD, qu'aurait-il fallu faire ?

► Situation 6

Mme Lapalme, âgée de 62 ans, se présente à l'urgence parce que depuis quelques mois, elle ressent une fatigue inhabituelle. Elle a pris 8 kg dans les deux derniers mois malgré le fait qu'elle n'ait rien modifié à ses habitudes alimentaires. Elle se plaint de perdre ses cheveux et dit avoir la voix souvent enrouée. À la suite de l'examen physique, le médecin souhaite procéder à certains examens de laboratoire.

On trouve sur la feuille d'ordonnance :

- Bilan de base
- Bilan abdominal
- Cholestérol
- Déshydrogénase lactique (LDH)
- Albumine, protéines, TSH[1], T_3[2], T_4[3], T_4 libre, B_{12}, Ca^+, Mg^+

1. TSH : Thyréostimuline ou thyréotrophine.
2. T_3 : Triiodothyronine.
3. T_4 : Thyroxine.

Quelle est la différence entre le dosage de la T_4 et de la T_4 libre ?

____

____

____

____

____

____

Si on vous dit que les résultats de la T_3, T_4 et T_4 libre de Mme Lapalme sont diminués, selon vous, comment le taux de TSH devrait-il être ? Justifiez votre réponse.

____

____

À la suite des données et des analyses sanguines qui ont été faites auprès de Mme Lapalme, à quel diagnostic médical pensez-vous ?

____

Nommez deux autres examens pouvant donner des informations supplémentaires et ainsi confirmer le diagnostic de Mme Lapalme.

____

____

____

____

► Situation 7

Mme Taillefer, 64 ans, souffrant d'hypertension artérielle, est hospitalisée pour des problèmes intestinaux. Depuis près de deux mois, elle présente des diarrhées fréquentes avec des douleurs abdominales sous forme de crampes qui se manifestent de façon intermittente. Au cours de ces deux derniers mois, Mme Taillefer a perdu 4 kg. À la suite des résultats des examens effectués, on constate une carence des vitamines A, D et E, et on confirme un test au gaïac positif. Demain, Mme Taillefer passera une coloscopie.

Médication

- Ramipril (Altace^MD^) 10 mg P.O.
- AAS (Asaphen^MD^) 80 mg P.O.
- Hydrochlorothiazide (HydroDIURIL^MD^) 12,5 mg P.O. die

Examens paracliniques

- Hb : 94 g/L
  (valeurs normales : 120 – 160 g/L)
- Ht : 32 %
  (valeurs normales : 37 – 48 %)
- RIN ou INR : 0,9
  (valeurs normales : 1,0 ±0,1)

Lors de l'investigation auprès de Mme Taillefer, à quoi fait-on référence lorsque l'on parle du test au gaïac ? Quel autre nom porte ce test ?

Mme Taillefer vous demande ce qu'est une coloscopie (ou colonoscopie) et de quelle façon se déroule l'examen. Expliquez brièvement.

Mis à part les signes vitaux, nommez deux vérifications qu'il vous faudra effectuer en vue de la préparation à la coloscopie.

Quelle pourrait être la principale complication à la suite de cet examen ?

Quelles surveillances post-coloscopie doivent être faites ? Nommez-en deux :

► Situation 8

M. Pelletier a 68 ans. Il est en observation à l'urgence pour une déshydratation sévère. Actuellement, un soluté de Lactate Ringer[MD] est en cours à 70 cc/h. Il vous mentionne qu'il a des vomissements qui persistent. Ses signes vitaux sont les suivants :

- T°.B. : 37 °C
- P.A. : 100/65 mm Hg
- SaO_2 : 96 % AA (air ambiant)
- P : 100 batt./min irrégulier
- R : 14/min

Voici quelques résultats de ses analyses sanguines :

- PH : 7,30 (valeurs normales 7,35 – 7,45)
- PCO_2 : 35 mmHg (valeurs normales : 35 – 45 mmHg)
- HCO_3 : 17 mmol/L (valeurs normales : 22 – 26 mmol/L)

Quelle sera votre analyse du résultat du gaz artériel ?

Médecine-chirurgie, niveau 3

► Situation 1

Récemment, Mme Bilodeau, 43 ans, a reçu un diagnostic d'insuffisance rénale chronique résultant de glomérulonéphrites répétées. Les résultats des analyses sanguines de Mme Bilodeau révèlent une hausse et une baisse de certains éléments.

Quelles analyses sanguines sont généralement à la hausse ou à la baisse en lien avec cette problématique ? Nommez-en cinq.

Analyses sanguines à la hausse	Analyses sanguines à la baisse

Quels examens, autres que les tests sanguins et d'urine, permettent de poser l'hypothèse de diagnostic d'insuffisance rénale chronique. Nommez-en quatre.

Lequel de ces examens nécessite un liquide de contraste ?

► Situation 2

M. Desmarais est âgé de 75 ans. Il souffre d'insuffisance cardiaque. Au rapport, l'infirmière de nuit vous dit qu'il a eu une nuit agitée, ponctuée d'épisodes de dyspnée et de toux sèche non productive. À l'auscultation, on entend des crépitements à la base des deux poumons. Il y a de l'œdème à godet modéré. Le client dit avoir des nausées.

À 6 h, les signes vitaux (SV) étaient :

- P.A. : 148/100 mm Hg
- PLS : 114 batt./min irrégulier
- SaO_2 : 97 % AA (air ambiant)
- R : 32/min
- T°.B. : 36,8°C

À 9 h, M. Desmarais devient de plus en plus dyspnéique. Il est très nauséeux. Sa peau est moite et légèrement cyanosée. Ses signes vitaux sont les suivants :

- P.A. : 154/100 mm Hg
- R : 36/min superficielle
- PLS : 120 batt./min irrégulier
- SaO_2 : 89 % AA

L'oxygène (O_2) est installé par lunettes nasales à un débit de 3 L/min, et le médecin est appelé. De plus, certains examens de laboratoire sont demandés :

- K^+
- Na^+
- Urée, créatinine
- Aspartate aminotransférase (ASAT ou SGOT), alanine aminotransférase (ALAT ou SGPT)
- Digoxinémie

Voici quelques résultats :

- Na^+ sanguin : 134 mmol/L (valeurs normales : 135 – 145 mmol/L)
- K^+ : 3,3 mmol/L (valeurs normales : 3,5 – 5,0 mmol/L)
- Taux de digoxine : 3,2 mmol/L (valeurs normales : 1,0 – 2,6 mmol/L)

Médication prise par le client :

- Digoxine (Lanoxin^MD) 0,25 mg p.o. die à 9 h
- K-Dur^MD 10 mEq p.o. b.i.d. à 9 h et 17 h
- Furosémide (Lasix^MD) I.V. 40 mg b.i.d. à 9 h et 17 h
- Capoten^MD 6,25 mg p.o. t.i.d. à 9 h, 17 h et 22 h

Quelle sera votre interprétation des résultats de laboratoire obtenus ?

____

____

____

____

Considérant l'état de M. Desmarais, quel médicament vous faudrait-il administrer en priorité ? Justifiez votre réponse.

Y a-t-il une autre décision qu'il vous faut privilégier concernant la médication ? Justifiez votre réponse.

► Situation 3

M. Langevin, âgé de 47 ans, est amené à l'hôpital par son épouse. Le client souffre d'une cirrhose, est ROH (alcoolique) et présente de l'agitation et de la confusion. L'épouse de M. Langevin nous mentionne que son mari n'arrive plus à se concentrer pour accomplir son travail, qu'il perd beaucoup de poids et qu'il se sent fatigué. À l'examen physique, le client a le teint ictérique, présente du prurit et on constate que le signe du flot confirme l'ascite à l'abdomen. Déjà, l'astérixis a fait son apparition.

Dès son arrivée, le médecin demande une formule sanguine complète (FSC), un rapport international normalisé (RIN ou INR), un bilan hépatique et un dosage d'éthanol. Ce dernier s'avérera normal.

Considérant l'état de santé de M. Langevin, les résultats de ses tests sanguins seront-ils plus élevés que la normale ? Justifiez votre réponse.

Selon vous, pourquoi le médecin a-t-il demandé un dosage d'éthanol sanguin ?

Quelle précaution doit-on prendre lors du prélèvement sanguin pour cette analyse sanguine ?

Quelle autre analyse sanguine serait-il pertinent d'effectuer pour corroborer une possible complication neurologique ?

À la lumière des informations qui vous sont transmises, quelle complication croyez-vous que peut présenter M. Langevin ?

► Situation 4

Mme Cantin, âgée de 57 ans, est en investigation pour un diabète de novo. Au cours des derniers mois, elle a perdu 6 kg. Elle présente de la polydipsie et de la polyurie, surtout la nuit.

Voici quelques résultats :

- Glycémie à jeun : 17,0 mmol/L (valeurs normales : 3,5 – 6,0 mmol/L)
- Hb glyquée : 23 % (valeurs normales adulte diabétique : 6 – 7 %)
  (valeurs normales adulte non diabétique : 4,5 – 6 %)

Quel autre nom donne-t-on à l'hémoglobine glyquée ?

La cliente doit-elle être à jeun pour effectuer cette analyse sanguine ?

À quoi sert le dosage de l'hémoglobine glyquée ?

Est-il vrai de dire que l'absorption de certains médicaments peut influencer le résultat du test ?

Est-ce que le dosage de l'hémoglobine glyquée permet de confirmer le diagnostic de Mme Cantin ?

► Situation 5

M. Demers, souffrant d'une cirrhose, a été hospitalisé au sein de votre unité. À la suite de la visite de son médecin, une ponction d'ascite est prévue pour le lendemain matin. M. Demers est un peu inquiet et vous demande de bien vouloir répondre à ses nombreuses questions.

Qu'est-ce que l'ascite ?

Quelles sont les raisons pour procéder à une ponction d'ascite ? Nommez-en deux.

Quel sera l'enseignement à faire auprès de M. Demers au regard du déroulement de l'intervention ?

Quelles sont les principales complications possibles à la suite de cette intervention ? Nommez-en trois.

► Situation 6

M. Rousseau, âgé de 57 ans, se présente à l'urgence, car il ressent des douleurs persistantes causées selon lui par de l'angine instable. Hier en soirée, il dit avoir ressenti un inconfort sous forme de douleur à l'estomac qu'il a associé à une mauvaise digestion de son souper.

Ces examens sont demandés :

- Bilan de base
- Bilan cardiaque
- Cholestérol
- Déshydrogénase lactique (LDH)
- Coagulogramme
- Électrocardiogramme (ECG) q.8 h × 2
- Dosage de troponine[1] q.6 h × 2

1. L'intervalle requis pour le dosage de la troponine peut varier d'un établissement à l'autre.

Le médecin soupçonne un infarctus du myocarde. Outre la troponine et les CPK, CPK-MB, quelle autre analyse sanguine pourrait donner des informations supplémentaires en regard du diagnostic de M. Rousseau ? Justifiez votre réponse.

____

____

____

____

____

Selon vous, qu'est-ce qui confirmerait à l'ECG un infarctus possible ?

____

____

____

Précisez la différence entre les enzymes de la créatinine phosphokinase (CPK ou CK) et les isoenzymes de la créatinine phosphokinase (CPK-MB).

____

____

____

____

Pourquoi le dosage de la lactodéshydrogénase (LDH) confirme-t-il l'infarctus du myocarde au même titre que les CPK?

Expliquez en quoi un dosage de troponine est indiqué dans cette situation. Justifiez le fait de procéder deux fois au prélèvement du dosage de troponine, et ce, à six heures d'intervalle.

► Situation 7

Mme Michaud, âgée de 51 ans, est hospitalisée pour une thromboembolie veineuse à la jambe gauche. Au moment de votre visite, elle se plaint de douleur évaluée à 9/10. La peau de la jambe est chaude et rouge, et il y a présence d'œdème, surtout au mollet. Le signe de Homans est présent. Un protocole d'héparine par voie intraveineuse (I.V.) est amorcé et certains examens sont demandés tels que :

- FSC, numération des plaquettes et formule leucocytaire (GB)
- RIN ou INR
- Radiographie pulmonaire
- ECG
- Doppler des membres inférieurs par ultrasonographie

Un examen sanguin essentiel a été oublié lors de la retranscription de la prescription. Quel est-il ? Justifiez son importance.

____

____

À quoi sert le doppler ?

____

____

____

____

____

____

► Situation 8

Mme Dion se sent subitement plus essoufflée et se plaint d'une douleur thoracique du côté gauche.

Voici ses signes vitaux :

- P.A. : 110/60 mm Hg
- P : 124 batt./min
- R : 32/min superficielle
- SaO_2 : 91 % AA (air ambiant)

Le médecin a demandé comme analyse supplémentaire un dosage des D-dimères, et il procède à un gaz artériel.

Selon vous, pourquoi le médecin a-t-il demandé le dosage des D-dimères ?

À la lumière des symptômes présentés et au regard des analyses et des examens demandés, à quelle complication pensez-vous ?

Selon vous, quel examen permettrait de confirmer cette complication ?

► Situation 9

M. Piché, âgé de 49 ans, se présente à l'urgence avec un début d'hémorragie gastrique. C'est un client déjà connu pour cirrhose. Une fois l'état du client stabilisé, le médecin demande une œsophago-gastro-duodénoscopie (OGD).

Décrivez en quoi consiste l'OGD ?

Pourquoi l'OGD devient-il l'examen à prioriser dans cette situation particulière ?

Quelles seront les principales surveillances infirmières à effectuer à la suite de cet examen ? Nommez-en trois.

Notes

PÉDIATRIE ET PÉRINATALITÉ

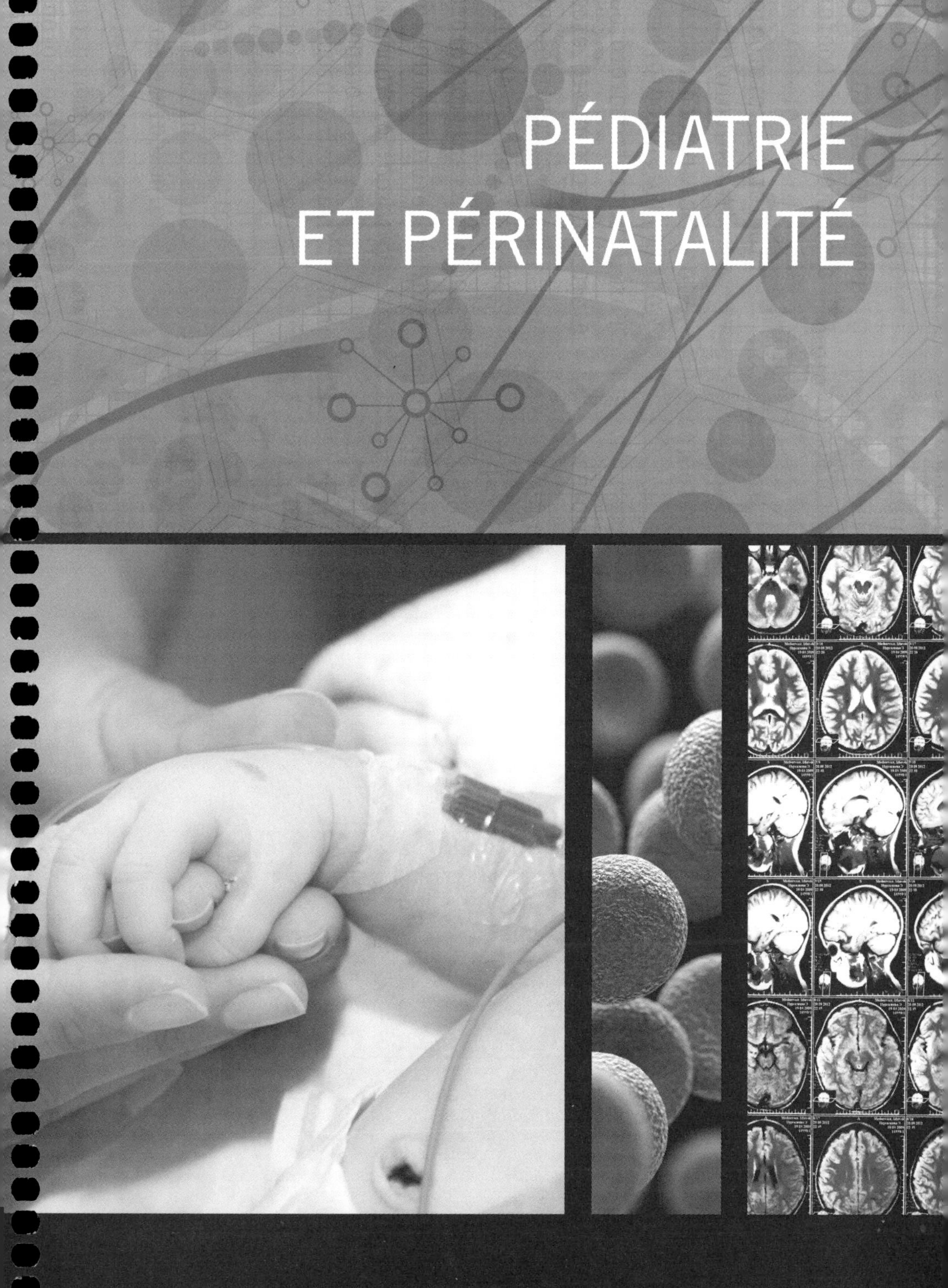

Pédiatrie

► Situation 1

La petite Maeva, 3 mois, est hospitalisée à l'unité de médecine pédiatrique pour plusieurs symptômes :

- Retard staturo-pondéral
- Régurgitations fréquentes
- Irritabilité lors des boires

Les médecins soupçonnent un reflux gastro-œsophagien sévère. Une mesure du pH œsophagien est demandée.

Pour quelle raison les médecins ont-ils demandé une mesure du pH œsophagien ?

____

____

____

____

____

____

En quoi consiste cet examen paraclinique ?

____

____

____

Quels seront les éléments d'enseignement à prodiguer aux parents relativement à la surveillance et à la procédure durant toute la durée de la mesure du pH œsophagien ?

____

____

____

____

____

____

► Situation 2

Alexandre, 2 ans, est emmené à l'urgence pédiatrique par ses parents pour des vomissements et de la diarrhée qui durent depuis plus de 24 heures. Il est somnolent et léthargique. Ses signes vitaux sont les suivants :

- P.A. : 70/30 mm Hg (moyenne : 101/57 mm Hg)
- P : 140 batt./min (valeurs normales : 80 – 120 batt./min)
- R : 36/min (valeurs normales : 20 – 30/min)
- T° AX. : 36,6 °C (température axillaire normale : 36,5 °C)

Que vous indiquent les résultats des signes vitaux ? Expliquez la raison pour laquelle vous en venez à cette conclusion.

Les médecins vous demandent de faire un dosage sanguin des bicarbonates et un bilan électrolytique. D'après vous, que veulent-ils vérifier en vous adressant une telle demande ?

► Situation 3

Marcellin, 5 mois, est un bébé de race noire. Ses parents l'emmènent à l'urgence pour des pleurs incontrôlables depuis plus de 24 heures. Il présente une température rectale de 39 °C, une diminution de la quantité de lait prise lors des boires depuis quelques jours ainsi que de la somnolence.

Voici les résultats de la formule sanguine complète (FSC) :

- Ht : 25 % (valeurs normales : 39 – 67 %)
- Hb : 69 g/L (valeurs normales : 140 – 240 g/L)
- Numération des plaquettes : 333×10^9/L (valeurs normales : $140 - 440 \times 10^9$/L ou 150 000 – 400 000/mm^3)

Le reste de la FSC est normal.

Un frottis sanguin est demandé et des cellules falciformes sont détectées. Qu'est-ce que cela signifie ?

À la suite de ce résultat, quelles autres analyses sanguines faudrait-il effectuer afin de confirmer le diagnostic d'anémie falciforme ? Nommez-en deux et justifiez vos réponses.

► Situation 4

La petite Léanne, 3 semaines, est emmenée à l'urgence pédiatrique par ses parents, car elle présente une température rectale de 39 °C (valeur normale : 37,5 °C), une diminution de la quantité de lait prise lors de ses boires et un état léthargique.

Les médecins demandent immédiatement une ponction lombaire et un bilan septique. Que doit inclure un bilan septique ? Justifiez votre réponse.

Décrivez en quoi consiste une ponction lombaire.

Quelle sera la préparation de la cliente pour ce test ?

Quelle sera la principale surveillance infirmière à effectuer à la suite de la ponction lombaire ?

► Situation 5

Chloé, 4 mois, accompagnée par ses parents, arrive en détresse respiratoire à l'urgence pédiatrique. Voici les données recueillies lors de la première évaluation de la cliente au triage :

- R : 68/min
- P : 164 batt./min
- SaO_2 : 88 % AA (air ambiant)
- T°.R. : 39,1 °C
- Tirage sous et sus-costal avec battement des ailes du nez (BAN)
- Cyanose péribuccale
- Sécrétions nasales abondantes et ronchis à l'auscultation

Les médecins soupçonnent une bronchiolite. Un astrup (gaz capillaire) est demandé en stat. Voici les résultats :

- pH : 7,32 (valeurs normales : 7,35 – 7,45)
- PO_2 : 78 mm Hg (valeurs normales : 75 – 100 mm Hg)
- PCO_2 : 65 mm Hg (valeurs normales : 35 – 45 mm Hg)
- HCO_3 : 25 mmol/L (valeurs normales : 22 – 26 mmol/L)

Quelle sera votre interprétation des résultats de l'astrup ?

Quelles modifications des résultats de l'astrup indiqueraient une compensation par une alcalose métabolique ?

► Situation 6

Maryse, 15 ans, se présente à la clinique des adolescents de son CSSS. Active sexuellement depuis deux ans, elle a eu plusieurs relations sexuelles non protégées avec différents partenaires dans les derniers mois. Elle désire obtenir une ordonnance d'anovulants. À la suite de votre collecte de données, vous discutez avec le médecin qui vous demande d'effectuer un dépistage préventif des infections transmissibles sexuellement et par le sang (ITSS).

Décrivez les différentes étapes de la procédure à suivre.

Une chlamydia est diagnostiquée. Quelle sera la suite de votre démarche ?

Vous contactez Maryse afin de la prévenir. Quelle autre information devez-vous obtenir auprès d'elle ?

En ce qui a trait à son traitement, quels seront les éléments d'enseignement prioritaires à lui transmettre ?

► Situation 7

Noémie, 8 ans, est dirigée vers l'urgence pédiatrique par son pédiatre. Depuis deux semaines, ses parents ont remarqué que leur fille était très pâle et fatiguée. Elle présente des ecchymoses sur les jambes et les bras et se plaint de douleur au niveau du dos. De plus, le pédiatre a observé une hépatosplénomégalie à l'examen physique. Dès son arrivée à l'urgence, les médecins demandent une formule sanguine complète (FSC). Voici les résultats obtenus :

- Leucocytes : 40 000 (valeurs normales : 4 500 – 10 500/mm^3)
- Ht : 20 % (valeurs normales : 32 – 47 %)
- Hb : 70 g/L (valeurs normales : 95 – 166 g/L)
- Numération plaquettaire : 30 × 10^9/L (valeurs normales : 10 – 440 × 10^9/L ou 150 000 – 400 000/mm^3)
- Neutrophiles matures : 1 000 (valeurs normales : 3 000 – 7 000 cellules/mm^3)

Rapidement, les médecins soupçonnent une leucémie aiguë lymphoblastique (LAL). Un frottis sanguin est demandé en complément de la FSC.

Pour quelle raison le frottis sanguin est-il demandé ?

Une biopsie de la moelle osseuse est ensuite demandée afin de confirmer le diagnostic de LAL. De quelle façon cet examen peut-il confirmer le diagnostic ?

Avant de préparer Noémie pour sa biopsie de moelle osseuse, vous vous assurez qu'il n'y a pas de contre-indication à ce qu'elle subisse cette procédure. Quelle donnée de la FSC vous indiquerait qu'elle ne pourrait pas subir cette intervention ?

Quels autres résultats de prélèvements sanguins est-il nécessaire d'obtenir avant de procéder à la biopsie de la moelle osseuse ?

Finalement, Noémie a été transfusée, si bien qu'elle pourra subir sa biopsie de la moelle osseuse. Quelles seront les surveillances infirmières à effectuer à la suite de cette intervention ?

Périnatalité

► Situation 1

Mme Trudel, enceinte de 12 semaines, se présente au centre de prélèvement. Son médecin a demandé différentes analyses.

Remplissez le tableau suivant :

Analyse	But	Résultat normal
	Dépister l'anémie et procéder à la numération des leucocytes et des plaquettes.	Leucocytes : ____ Hb : ____ Ht : ____ ____ Plaquettes : ____
	Rechercher l'hématurie, la glycosurie et la protéinurie.	Couleur : ____ Limpidité : ____ Densité : ____ pH : ____ Nitrites : ____ Protéines : ____ Glucose : ____ Corps cétoniques : ____ Leucocytes : ____ Bactéries : ____

Groupe sanguin et rhésus (ABO, Rh) Recherche d'anticorps	Déterminer le groupe sanguin de la mère. Repérer les mères à Rh^- non sensibilisées en vue de leur administrer le WinRho[MD] (immunoglobulines anti-D) au besoin.	A B AB O Rh^+ ou Rh^- Recherche d'anticorps: ____________
Recherche d'anticorps antirubéole	S'assurer de la présence d'anticorps contre la rubéole.	
Recherche de l'antigène de surface de l'hépatite B (AgHBs)	Dépister l'hépatite B.	
Venereal Disease Research Laboratory (VDRL)		

► Situation 2

Mme Lacoste, âgée de 38 ans, s'est rendue à sa première visite médicale de grossesse. Son médecin lui a parlé de divers examens qui pourraient être faits en vue de détecter certaines anomalies chez son fœtus.

Expliquez brièvement en quoi consistent les examens suivants:

Examen	Brève description
Échographie obstétricale	

Échographie de clarté nucale	
Amniocentèse	
Triple test (« Triple indicateur ») • dosage de l'alpha-fœtoprotéine sanguine (AFP) • dosage de l'hormone gonadotrophine chorionique humaine (HCG) • dosage de l'œstriol libre	

► Situation 3

Mme Joseph, âgée de 36 ans, est enceinte de 38 semaines. Elle a été dirigée vers l'hôpital par son médecin traitant pour hypertension gravidique. Il a demandé que l'on fasse un bilan de prééclampsie et une épreuve de réactivité fœtale (*Non Stress Test* ou NST).

Les analyses demandées pour Mme Joseph sont les suivantes :

- Protéines dans l'urine selon une analyse d'urine
- Enzymes hépatiques : alanine aminotransférase (ALAT) et aspartate aminotransférase (ASAT)
- Urée
- Créatinine
- Électrolytes
- Formule sanguine complète (FSC)
- Temps de prothrombine (TP ou PT)
- Rapport international normalisé (RIN ou INR)

Indiquez les analyses qui ont un lien avec les complications possibles de la prééclampsie que le médecin souhaite dépister.

Complications possibles	Analyses associées
Stéatose hépatique (syndrome HELLP)	
Coagulation intravasculaire disséminée (CIVD)	
Insuffisance rénale aiguë	

Quels sont les critères qui permettraient de dire que le NST est « réactif » ?

► Situation 4

Mme Sirois, multipare de 26 ans, a donné naissance à un garçon il y a 16 heures. Vous recevez plusieurs rapports de laboratoire :

Rapports de Mme Sirois :	Rapports de bébé Sirois-Ouellet :
• Groupe sanguin : O	• Groupe sanguin : A
• Rh : négatif	• Rh : positif
• Test de Coombs indirect : positif	• Test de Coombs direct : négatif

Mme Sirois est-elle susceptible de recevoir le WinRho^MD^ ? Expliquez votre réponse.

____

____

____

____

____

____

____

► Situation 5

Vous vous occupez de Mme Tran et de son nouveau-né.

Résultats d'analyses de la mère :	Résultats d'analyses du bébé :
• Groupe sanguin : B	• Groupe sanguin : O
• Rhésus : négatif	• Rhésus : positif
• Test de Coombs indirect : négatif	• Test de Coombs direct : négatif
• Anticorps antirubéole : négatif	• Bilirubine totale sur sang de cordon : 23 mmol/L
• HBsAg : négatif	
• Strepto B : positif	
• Dépistage du VIH : négatif	
• Hb : 108 g/L	

Cochez oui ou non, selon que le cas s'applique ou non à Mme Tran, et précisez les interventions appropriées, le cas échéant:

Mme Tran	Oui	Non	Interventions appropriées	Remarques
Protégée contre la rubéole				Si le fœtus contracte la rubéole pendant les 12 premières semaines de grossesse, le bébé peut naître avec de nombreux problèmes. Les plus courants sont les problèmes oculaires, auditifs et cardiaques[1].
Porteuse de streptocoques du groupe B				Le dépistage et la prise en charge des infections causées par des streptocoques du groupe B visent à en prévenir la transmission au bébé.
Incompatibilité Rh				Ce test vise la prévention de la maladie hémolytique du nouveau-né.
Incompatibilité ABO				L'incompatibilité ABO se produit surtout lorsque la mère est de type O et que l'enfant est de type A ou B ou AB.

1. *Société canadienne de pédiatrie.* www.soinsdenosenfants.cps.ca/handouts/rubella_in_pregnancy (Page consultée le 25 août 2013).

► Situation 6

Bébé Pham-Thuy, âgé de 41 heures, est sous photothérapie pour un ictère physiologique.

Quelle est l'analyse sanguine qui permettra le suivi de l'efficacité du traitement ?

___

Pourquoi doit-on utiliser une courbe pour interpréter le résultat de cette analyse ?

___

___

___

___

___

Tracez les repères des zones que vous pourriez utiliser pour effectuer la ponction microméthode de bébé Pham-Thuy.

Image : courtoisie de Jean-Claude Aumais.

► Situation 7

L'examen microscopique des sécrétions vaginales de Mme Tremblay, une primigeste âgée de 24 ans, a révélé la présence de streptocoques B.

Elle se dit très étonnée, car elle ne ressent aucun symptôme particulier. Elle s'inquiète pour la santé de son bébé. Son médecin la rassure en lui expliquant la prise en charge qui sera faite pour diminuer les risques de transmission à son bébé.

Quels sont les risques encourus par le bébé en l'absence de traitement chez la mère ?

___

___

Précisez le type de prise en charge qui est généralement réalisée en présence de streptocoques B chez une femme en travail.

___

Notes

PSYCHIATRIE ET GÉRIATRIE

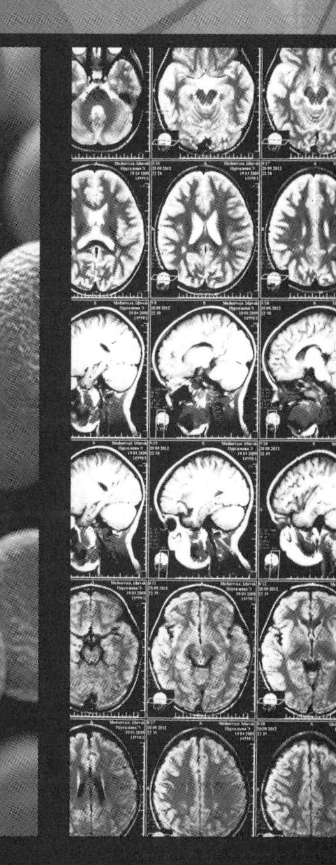

Psychiatrie

► Situation 1

Mme Nguyen, 55 ans, est admise à l'unité psychiatrique, car elle se plaint de nausées périodiques et dort très peu. Vous remarquez que son humeur est exaltée, qu'elle est désinhibée et qu'elle présente un discours accéléré. Elle reçoit du Carbolith[MD] (lithium) depuis plusieurs années. Son diagnostic est le suivant : maladie affective bipolaire (MAB).

Les tests suivants ont été prescrits :

- Urée
- Créatine
- Gonadotrophine chorionique humaine (β-HCG)
- Lithémie
- Thyrotrophine (TSH)

Qu'évalue-t-on à l'aide de ces tests ?

En quoi les résultats de ces tests pourraient-ils influencer le traitement de Mme Nguyen ?

Quel est le seuil thérapeutique du lithium ?

► Situation 2

Mme Hadari, 24 ans, est admise à l'urgence psychiatrique. Le médecin qui l'évalue pose le diagnostic de schizophrénie paranoïde. Il lui prescrit un antipsychotique atypique de l'olanzapine (Zyprexa^{MD}) et un antipsychotique typique de l'halopéridol (Haldol^{MD}), puis il remplit une requête incluant les tests suivants :

- Recherche de drogues dans les urines STAT
- Glycémie et bilan lipidique cette semaine et tous les trois mois par la suite
- Pesée une fois par semaine
- Glucométrie die trois fois par semaine à des heures irrégulières
- Prolactinémie dans un mois

Quel est le lien entre la prolactinémie et la situation de Mme Hadari ?

Quelle est l'utilité de la recherche de drogue dans le traitement de Mme Hadari ?

Pourquoi le médecin prescrit-il des tests de glycémie, un bilan lipidique et la pesée de la cliente ?

► Situation 3

M. Lebrun, 68 ans, polytoxicomane et sans domicile fixe, est admis à l'hôpital à la suite d'une intoxication à l'alcool. On observe, quatre semaines plus tard, la persistance d'hallucinations, des troubles de la mémoire ainsi qu'une désorientation dans le temps et dans l'espace. Les tests suivants ont été faits :

- Bilan hépatique
- Recherche de drogues dans les urines
- Alcoolémie
- Vitamine B_{12}
- Folates
- Thiamine (B_1)
- Imagerie par résonance magnétique (IRM) du cerveau

Est-il important d'évaluer la fonction hépatique de M. Lebrun ?

Pourquoi a-t-on fait un dosage de la vitamine B_{12}, des folates et de la thiamine (B_1) chez M. Lebrun ?

Y a-t-il des données qui justifient la prescription de l'imagerie par résonance magnétique (IRM) ?

À quoi sert l'IRM du cerveau dans cette situation ?

Pourquoi est-il important de recueillir le plus rapidement possible l'urine destinée à une recherche de drogue ?

► Situation 4

Mme Duong, 40 ans, est admise à l'hôpital psychiatrique pour désorganisation et agitation à la suite de l'arrêt de la prise de sa médication. Le médecin lui a de nouveau prescrit de l'acide valproïque (Épival^MD^), 750 mg bid. Hier, elle a reçu du Clopixol-Acuphase^MD^ (zuclopenthixol), 100 mg par voie intramusculaire (I.M.) stat, en raison de son agressivité et de son agitation.

Nommez un test qui pourrait vous révéler si Mme Duong observe bien son traitement.

À la suite de l'administration du Clopixol-Accuphase^MD^, vous soupçonnez un syndrome neuroleptique malin chez Mme Duong et vous avisez le psychiatre. Celui-ci prescrit plusieurs tests sanguins, dont les créatines kinases (CK). Pourquoi le psychiatre a-t-il prescrit les CK ?

► Situation 5

M. El Hage, 42 ans, se présente à la clinique de prélèvement pour sa ponction veineuse de routine. Le dossier indique qu'il prend de la clozapine (Clozaril^MD^) depuis trois mois et, ce faisant, il est sous surveillance hématologique rigoureuse selon le protocole du réseau d'assistance et de soutien au Clozaril^MD^ (RASC).

Quel est l'effet secondaire de la clozapine lié à la surveillance hématologique ?

Spécifiez quels seront les éléments à surveiller sur le plan hématologique.

Lors de sa visite à la clinique, M. El Hage mentionne qu'il a cessé de fumer depuis trois semaines. L'infirmière avise immédiatement le psychiatre, qui prescrit une clozapinémie. Expliquez pourquoi le psychiatre prescrit une clozapinémie pour ce client.

► Situation 6

À la suite d'une violente altercation avec un travailleur de rue, Mme Couture, 29 ans, est emmenée à l'urgence psychiatrique par des policiers. Elle est désorganisée, agressive et semble intoxiquée. Elle avoue au médecin qui l'évalue qu'elle consomme quotidiennement de la drogue et que parfois elle s'en injecte. Mme Couture dit ignorer si elle est porteuse d'une maladie quelconque. Voici les tests de laboratoires prescrits par le médecin :

- Anticorps hépatite A (IGM anti-HAV)
- Antigène hépatite B (HBs-Ag)
- Anticorps hépatite B (anti-HBs)
- Anticorps anti-HBc (hépatite B)
- Hépatite C (anti-HCV)
- Anticorps VIH
- Acide urique, ALT, ALT, bilirubine, albumine, GGT
- CK, créatinine, électrolytes
- Phosphatase alcaline
- Analyse d'urine
- β-HCG sérique
- Recherche urinaire de drogue

Quel est le lien entre la situation clinique de Mme Couture et les tests de laboratoire pour le dépistage des anticorps de l'hépatite A, B et C, et l'antigène hépatite B ?

Si Mme Couture s'avère porteuse de l'hépatite B, quels résultats de laboratoire pourrions-nous obtenir ?

Le résultat du test est maintenant connu : Mme Couture est porteuse de l'hépatite C. En sachant qu'elle est porteuse de cette maladie, quelle surveillance spécifique sera désormais nécessaire ?

Quelles analyses de laboratoire seront demandées pour exercer cette surveillance ?

Le médecin demande de vérifier le temps de Quick ou de prothrombine (PT). Quel est le lien entre ce test et l'hépatite de Mme Couture ?

Gériatrie

► Situation 1

Vous vous occupez de Mme Pilon âgée de 84 ans et admise pour un délirium. Elle présente une pensée désorganisée et un changement rapide de son état cognitif.

Les signes vitaux de votre cliente sont les suivants :

- P.A. : 90/65 mm Hg
- P : 92 batt./min
- R : 26/min
- T°.R. : 38,5 °C
- SpO_2 : 89 % avec lunettes nasales à 1,5 L/min

Un suppositoire d'acétaminophène lui a été administré cette nuit.

Le lendemain, vous recevez les résultats de son bilan sanguin :

Analyse d'urine

- Couleur : paille
- Limpidité : légèrement trouble
- Leucocytes : positif
- pH : 5,5
- Nitrites : positif

FSC

- Ht : 42 %
- Numération des globules blancs (GB) : 18 000/mm^3 (valeurs normales : 4 200 – 10 000/mm^3)

Biochimie :

- K^+ : 3,1 (valeurs normales : 3,5 – 5,0 mEq/L)
- Na^+ : 130 (valeurs normales : 135 – 145 mEq/L)

En vous référant aux données de la mise en situation, nommez trois facteurs prédisposant au délirium.

► Situation 2

M. Amir, 55 ans, est atteint de sclérose en plaques. Il vous mentionne qu'il a un problème d'incontinence urinaire. Vous craignez que M. Amir ne présente une vessie neurogène.

Quels examens paracliniques M. Amir doit-il subir pour valider le diagnostic probable de vessie neurogène ? Citez-en quatre. Quelle en est la principale complication ?

Examens paracliniques	Complication

► Situation 3

Vous êtes infirmière à l'urgence où Mme Poirier, 78 ans, est hospitalisée pour une fracture à la hanche gauche consécutive à une chute de sa hauteur. Elle est inquiète et elle veut connaître les examens qu'elle doit passer avant son opération. Le médecin lui parle des étapes de l'opération et du fait que sa fracture est possiblement causée par de l'ostéopénie ou de l'ostéoporose.

Nommez deux examens paracliniques que devra passer Mme Poirier afin d'écarter la possibilité d'ostéopénie et de métastases osseuses.

► Situation 4

Vous êtes infirmière à la clinique d'otorhinolaryngologie (ORL). M. Kolbitz, 69 ans, atteint de surdité moyenne accompagnée d'acouphènes, consulte son otorhinolaryngologiste puisque, depuis deux semaines, il souffre de vertiges, de perte d'équilibre et de céphalées. Son médecin suspecte la maladie de Ménière et lui demande de passer une électronystagmographie (ENG).

Quelles informations pré-électronystagmographie (ENG) devrez-vous transmettre à M. Kolbitz ? Énumérez au moins cinq éléments.

► Situation 5

La fille de Mme Jugnot accompagne sa mère de 78 ans chez son médecin de famille, car sa mère présente des troubles cognitifs, soit des troubles de la mémoire et la perturbation des fonctions exécutives.

À la suite d'une anamnèse visant à faire ressortir les antécédents médicaux, neurologiques et psychologiques et ainsi éliminer une condition médicale, le médecin prescrit les tests suivants à Mme Jugnot :

- TSH
- Vitamine B_{12}
- FSC
- Glycémie
- IRM cérébrale
- Urée, créatinine
- Électrolytes
- Calcémie
- Bilan hépatique

Pourquoi le médecin traitant prescrit-il un dosage de TSH dans le tableau clinique de Mme Jugnot ?

____

____

____

Expliquez à la fille de Mme Jugnot en quoi l'IRM contribuera à l'élaboration du diagnostic de sa mère.

____

____

____

Le médecin prescrit un dosage de vitamine B_{12} à la cliente, car il sait qu'une insuffisance en vitamine B_{12} peut entraîner des déficits cognitifs.

Nommez deux facteurs qui peuvent contribuer à rendre les valeurs anormales lors du dosage de vitamine B_{12}.

____

____

____

► Situation 6

Vous êtes infirmière dans une unité d'évaluation gériatrique et vous accueillez ce matin M. Phong, âgé de 76 ans, qui est accompagné de sa conjointe. Devant un tableau clinique présentant une faiblesse musculaire des membres supérieurs et inférieurs ainsi que des engourdissements, le médecin suspecte une maladie de Parkinson et prescrit l'étude des potentiels évoqués somesthésiques (PES).

Expliquez le but de cet examen paraclinique à la conjointe de M. Phong.

Notes